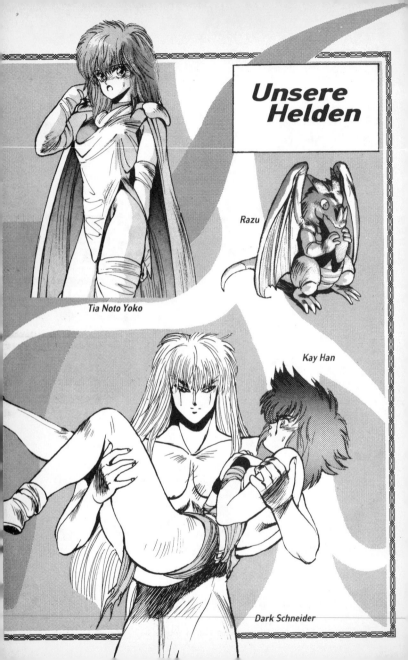

Unsere Helden

Tia Noto Yoko

Razu

Kay Han

Dark Schneider

Luzi Renren

Graf Dai Amon

WAS BISHER GESCHAH...

Yoko ist die Tochter des Oberpriesters Soto von Metallicana.
Luzi, von Soto als Baby aufgenommen, ist zusammen mit
Yoko aufgewachsen. In ihm wurde der legendäre Magier Dark
Schneider mit einem Siegel eingeschlossen. Als Metallicana
von einem bösen Magier angegriffen wird, löst Yoko sein
Siegel und rettet Metallicana. Die Vier Apokalyptischen Reiter
erfahren von der Rückkehr Dark Schneiders, und Ninja-
meister Gala, einer von ihnen, entführt Yoko, um sie gegen
Dark Schneider auszutauschen. Dark Schneider bricht in die
Ninjafestung Galas ein und rettet Yoko. Eine Mitstreiterin
Galas, Ashes Ney, soll nun Dark Schneider töten. Ney gibt
den Auftrag an ihre Vertraute Sheen Hari weiter, aber
der Mord an dem Magier schlägt fehl...

WERWÖLFE UND VAMPIRE

DER JUNGE

DAS HEER DER SCHATTEN (18)

DER JUNGE

7

8

URGH!

NUN SAG SCHON! WER SIEHT BESSER AUS?!

... AN SO ETWAS DENKEN?

WIE KANNST DU JETZT ...

BUFF

DAVON VERSTEHST DU EBEN NICHTS!

DA IST JEDE MÜHE UMSONST ...

DUMMER DRACHEN!

IHR SEID DOCH GLEICH ...

HI HI HI

ICH WEISS NICHT ...

KEINE GEWALT!

DU DEPP!

WACK!

HE HE!

ICH BIN WAHRHAFT SCHÖN!

9

SPUSSSH

ARGH

UFF

WAM

OOOH!

FLAP

ICH WERDE DICH IM ZWEIKAMPF SCHLAGEN!

FLAP

ARMER KLEINER! NOCH NIE GEHÖRT, DASS ICH UNSCHLAGBAR UND LEGENDÄR BIN?

...BIST DOCH LÄCHERLICH!

DU MIT DEINER MÄSSIGEN SCHÖNHEIT...

12

TAP

TAP TAP

EINE FRAGE NOCH, HAST DU DIESE LEUTE VERSTEINERT?

WACK

LOS GEHT'S !!!

SSSST !

POFF

AUCH DAS WIRST DU IM KAMPF ER- FAHREN.

HM...

FRAG-
MENTA-
TION
!

ACH SO!
EINE
ILLUSION.

SCHH

KRIEK

...

OH! DAS
SIEHT
SCHLECHT
AUS!

IMMERHIN BIST DU NICHT GANZ UNKULTIVIERT.

WAS SOLL DAS SEIN?

VORSICHT, DARK SCHNEIDER! DAS IST DAS GLÄSERNE SCHWERT!

OHO! EIN ECHTER SCHWERTKÄMPFER!

TRADITIONELL!

TRADITIONELLER SCHWERTKAMPF, EIN ANDERES KALIBER ALS GALA! DARAUF BIST DU NICHT VORBEREITET!!

BEVOR ICH DICH TÖTE, MUSS ICH DICH WAS FRAGEN...

DAMNED!

BOM

! WAS IST MIT SHEEN HARI?

HA HA HA! EIN TRADITIO-NELLER SCHWERT-KÄMPFER, LACHHAFT!

WIE GE-MEIN

HAT SIE UNS WIRKLICH VER-RATEN?

EINE ILLU-SION...

...

TSCHACK

SIE KANN DOCH NICHT VER-SCHWUNDEN SEIN...

ACH JA?

WIR SIND DURCH EIN STARKES BLUTSBAND VERBUNDEN!

DA GIBT ES KEINEN VERRAT!

IDIOT! EIN TYP WIE DU KANN DAS NICHT VERSTEHEN!

VIELLEICHT HATTE SIE GENUG VOM KÄMPFEN...

DANN IST SIE WOHL WIRKLICH IN MICH VERLIEBT!

WAS HAST DU MIT SHEEN GEMACHT!? ANTWORTE!

WAS?! MISTKERL !!!

DIESE JUNGFRAU ?!

HA! HA! HA! HAST DU DIESE FRAU ETWA GELIEBT?

Hinterhältiger Typ

17

WAS HAST DU GETAN?!

DU... DU...

ICH HATTE DAS VER-GNÜGEN!!

SIE WAR GUT! HA HA!! SIE WAR NOCH JUNGFRAU!!!

DU SCHWEIN!!

TSCHACK

GULP...

Jetzt als Frau

DAS HEER DER SCHATTEN ⑲

VERSTEINERUNG

DEINE LEGENDE ENDET HIER !

OB MANN ODER FRAU, WICHTIG IST ES, ZU GEWINNEN. DU HAST ALS STATUE GENUG ZEIT, DAS ZU VERSTEHEN !

DAS ALSO BLEIBT VOM MANN...

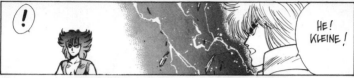

!

HE! KLEINE!

ALSO MACHT ES DIR DOCH WAS AUS, EINE FRAU ZU SEIN!

DU ARME! JETZT BE-FREI MICH VON DIESEM FLUCH!

DU BIST ALSO SOLDAT UND KEI-NE FRAU?! UND DU HAST NOCH KEINEN *MANN* GETROFFEN, DER STÄRKER WAR ALS DU?

WIE WAR DER ANTI-SPRUCH?

DU MACHST ALSO ERNST MIT DIESEM STEIN-FLUCH?

IN DEINER LAGE SOLLTEST DU DAS MAUL NICHT SO AUF-REISSEN!

?!

HA HAHA!!

HU HU!

Giiiiii

28

ABER DANN ... DAS IST...!

SONDERN EINE GEHEIME ALTE FORMEL, VON NEY WIEDER ENTDECKT!!

LASS GUT SEIN, DARK SCHNEIDER! DAS WAR KEIN SIMPLER STEINFLUCH!

HI!

HE HE

GANZ GENAU...

ZZZZ ZZZZ

HIGH ANCIENT MAGIE!!

FLAP FLAP FLAP

29

SO IST ES! HE! DU BIST SCHON BIS ZUR BRUST VERSTEINERT!

SCHEISSE! ICH KENNE KEINEN SPRUCH GEGEN DIESEN STEINFLUCH!

MACH WAS! DU KENNST DICH DOCH MIT HIGH ANCIENT AUS?!

AAH!

UNGH

VON WELCHEM GOTT HAT SIE DIE KRAFT?

IDIOT! ES GAB UNZÄHLIGE ALTE ZAUBER! WELCHER IST DER RICHTIGE?

KEINE ZEIT MEHR...

KRAAAK!

GWBS!

KEINER VON MEINEN VERBÜNDETEN! ABER EINER VON IHNEN...

...KÖNNTE DIE WIRKUNG DES FLUCHS AUFHEBEN.

HM... VIELLEICHT...

NEIN!! NICHT DIESE POSE!!

DU MUSST DAS ÄNDERN!

KAY BEHERRSCHT IHRE KUNST ABER...

LOS! MACH SCHON!

DARK SCHNEIDER!!

...WAS DU SHEEN HARI ANGETAN HAST, WIEGT ZU SCHWER!

ZRC

NORMALERWEISE WÜRDEST DU EWIG SO WEITERLEBEN, ABER...

...IRGEND-EIN MAGIER KÖNNTE DICH BE-FREIEN!!

EIN STEIN-KÖRPER HÄLT ZU LANGE ...

DU WIRST JETZT STERBEN!!

...IST EINE WIEDERBELEBUNG UNMÖGLICH!

KAZONG!

ABER WENN EIN WICHTIGER KÖRPERTEIL FEHLT...

ZER-BERSTE, DARK SCHNEIDER!

UAH! DARK SCHNEIDER!

DAS KANNST DU NICHT ...

ERSTARR!

KSHA

WIESO ...!?

EINE SPINNE !

SHEEN HARI !!

TALIS-MAN-MAGIE ?!

SHHHHH

ABER WARUM ?

WARUM HAST DU UNS VER-RATEN?

DAS KANNST DU NICHT VERSTE-HEN.

...

HE! DIE KLEINE VON NEULICH!

ÄH... VIELLEICHT, ABER...

IDIOTIN! WEIL ER DER ERSTE WAR, HÄLTST DU IHN FÜR WAS BE-SONDERES!

...DAS IST ES NICHT ALLEINE. ER WAR EIN SEHR STARKER GEG-NER!

ER HAT SOGAR MACHT ÜBER SEINE FEINDE!

DIESER MANN HAT GRÖSSERE KRÄFTE ALS KAL UND NEY!

36

SHEEN!

GALA WÜRDE DAS GLEICHE SAGEN!

ER IST MÄCHTIGER ALS NEY UND VAL!

IDIOT!

HE HE

HE! WILLST DU NOCH MAL?

DU BIST SÜSS OHNE RÜSTUNG!

ICH HABE DICH GEWARNT!

NEIN!

ER BENUTZT DICH DOCH NUR! GEH JETZT!

WIE RÜH-REND...

38

REISSE DARK SCHNEIDER IN STÜCKE!

IM NAMEN UNSERES KRIEGSGOTTES, SOGU OI...

TÖTE MICH, ABER LASS IHN LAUFEN!!

SDUNK

DARK SCHNEI-DER!

FIEP!

!

WAS GIBT ES DA ZU LACHEN?

HA HA HA!

HI HI HI!

NEIN! ER MUSS STER-BEN!

ZU KO-MISCH...

PUH HA HA!

HE HE HE!

41

DU
IDIOTIN !
JETZT
KENNE ICH
DEINEN
KRIEGS-
GOTT
!!

DIE MAGISCHE BESTIE

DARK
SCHNEI-
DER
!!

SKRITSCH!

WAS?!
DAS KANN
NICHT
SEIN
!

O
JE
!

47

DA,
NIMM
DAS!
TARAS
!!

DIESE
EKLIGE KRAKE
ZWISCHEN
DEINEN BEINEN
BEEINDRUCKT
MICH
NICHT!

HÄ
?!

ZISCH!

HE
!

MEINE
VERBÜNDETEN
GÖTTER
SCHLAGEN
DEINEN
SOGU OI!

IDIOTIN!
ES IST
SINN-
LOS!

48

Wer soll denn das sein?

DAS ERKLÄRT DIE VIELEN VERSTEINERTEN LEUTE HIER.

EIN COCKATRIX! NATÜRLICH

Cockatrix:
Ein magisches Tier, ein Einzelgänger, lebt in alten Ruinen. Sein Lebensraum liegt in warmen Klimazonen. Er hat einen riesigen Schlangenkörper mit dem Kopf, den Beinen und Schwingen eines Nifu Vogels. Er ist zwar dumm, kann aber seine Feinde versteinern.

KRADO

KRIII

CRiii

DER IST DAFÜR VERANTWORTLICH!

NIEDER MIT DEN MACHOS!!

HALTS MAUL! DU WIDERLING!

ZACK

HE! JETZT KOMMST DU MIT SO EINEM DRECKIGEN TRICK?

KRIIII

FAP

KRIIIIII

VERWANDLE IHN IN STEIN UND ZERSCHMETTERE IHN!

HI HI! COCKATRIX! TÖTE SIE!

PASS AUF! SONST WIRST DU ZU STEIN!

DARK SCHNEIDER!

GACK GACK

GACK

KRIIIII!!

KIKERIKI!!

AAAA

VER-
STEINERUNGS-
GAS ?!

!!

ICH KANN
NICHTS
MACHEN!
MEIN SPRUCH
GEHT INS
LEERE!

PFFFFT!

SCHEISSE!
DAS GAS HAT
NICHTS MIT
MAGIE ZU
TUN!

IHR
VERRÄTER
WERDET
ZU STEIN
!

HA HA HA!
IHR ENT-
KOMMT MIR
NICHT!

MIST!
GEGEN-
WIND!

SKRITSCH

Ein versteinerter Baum! Toll!

56

DA DRÜBEN !!

SKRIIE !

AAAAH !

TAP

VOR- SICHT !!

GRRR !

AAH !

DARK SCHNEI- DER !!

!

SCHEISSE! SCHON WIEDER ...

DARK SCHNEI-DER!

GROO

SKRI!!!!!!!!

HA HA HA! GLEICH HAB ICH DICH!

ES IST ZEIT FÜR DEN GNADEN-STOSS!

SSSSSII!!!

AHH!

DANN GEHORCHT ER IHR NICHT MEHR ... AAAAH!

DEN MUSS ICH ZER-STÖREN!

SIE LENKT IHN MIT DIESEM KRISTALL!

... HM ...

VER-DAMMT!
DER KRISTALL!

O NEIN !!

GRR

TRÖÖT!

SLURRPP ... ?!

UAAAH!

Alberne Visage

LUCKY!

HA! HA!
OHNE
STEUERUNG
IST ER VÖLLIG
BEKLOPPT !!

AAAH!!

QUAK AAAAAAH!!!

JETZT ZU DEM BLÖDEN COCKA-TRIX...

SLAP!

PFF! DU HAST VERGESSEN, AUF DEN WIND ZU ACHTEN!

DUMMES DING!

KAY!!

AAAHH

UFF!

UNGH...

62

DAS HEER DER SCHATTEN (21) BEISTAND

TÖTE MICH!

TAP

...

... ABER ICH ERGEBE MICH NICHT!

MEIN COCKATRIX IST ZWAR TOT ...

PSSS

PSSSH

PSSH

WENN DU MICH JETZT NICHT TÖTEST, WIRST DU ES BEREUEN...

DO DOM

EINES TAGES KRIEGE ICH DICH!

DU KANNST MICH JEDERZEIT TÖTEN...

TAP

TAP

...ABER VORHER MÜSSEN WIR DEINE WUNDEN VERSORGEN.

SEIN KÖRPER STRAHLT EINE HITZE AUS!

SCHÖN WARM...

DODOM

DODOM DODOM

FLAP

FLAP

FLAP

HE!

DODOM

DOM

DODOM

PLOP

WAS IST MIT MIR LOS?

DODOM

DODOM

WAS?

ALS ERSTES SOLLTEN WIR DAS GIFT AUSSAUGEN.

AAH!!

BAOM

SCHLÜRF

!

SMACK

OOHH!

MH

AAA

UNGH

SLAP

...

DU WARST EIN STARKER GEGNER!

AAAAAHH!

DU WARST AUCH NICHT SCHLECHT !!

DER NÄCHSTE KILLER IST GANZ ANDERS ALS SHEEN UND ICH!

EINEN RAT GEBE ICH DIR ...

...

INZWISCHEN SOLL ER SO STARK SEIN, DASS MAGIE IHM NICHTS MEHR ANHABEN KANN.

ICH HABE MEINE KRAFT VON NEY, ABER ER HAT SELBST UNGEHEURE MAGISCHE MACHT.

ICH HABE IHN LÄNGER NICHT GESEHEN, ABER MAN SAGT, ER SEI SEIT EINIGER ZEIT UNSTERBLICH!

SO?

BLÖDSINN! ICH WILL DICH NUR SELBST TÖTEN!!

SORGST DU DICH UM MICH?

FINGER WEG!

HE, KLEINE! GUCKST DU SO, WEIL SIE DEINE FREUNDIN IST?

JAAUULLL!

AUA! WAS SOLL DAS?

So ein Idiot!

So wie Yoko?

EINES TAGES WERDET AUCH IHR RICHTIGE FRAUEN SEIN!!

HA

HA

HA

FIEP

DAS HÄTTEN WIR HIER

ICH VERSTEHE JETZT...

SHEEN?

...WAS DU NEULICH GEMEINT HAST.

ABER AUCH DER LEGENDÄRE MAGIER IST NUR EIN MENSCH.

OB ER DEN GRAFEN BESIEGEN KANN?

KAY...

PASS AUF DICH AUF, DARK SCHNEIDER!

...

WAS IST MIT DIR?

TAP

WAS?

WÄ... WÄ-SCHE...

HE! ALLES IN ORDNUNG?

RUMMS!

UHH...

ABER...

ICH WILL WÄSCHE WASCHEN!!!

↑ Razu

KLONG KLING WACK

KRACK

DAS IST UNSERE LETZTE CHANCE! DENKT AN EURE EHRE ALS RITTER!!

Hat Bon Jovina das auswendig gelernt?

TAP TAP TAP

NICHT ZURÜCK-WEICHEN! ATTACKE!

SHHHHHHH

WIE STEHT DIE SCHLACHT?

VATER SPRECHT NICHT... EURE WUNDE...

Sheelas Kostümdesign ist von Ohya.

SEIT YOKOS BEFREIUNG DURCH PRINZESSIN SHEELA UND BON JOVINA...

HM

HM

KEINE SORGE, EURE MAJESTÄT...

JETZT IST EURE GENESUNG WICHTIG.

...IST DER KAMPFGEIST DER TRUPPEN GUT.

...GIBT ES NEUES VON YOKO?

ÜBRIGENS, OBER-PRIESTER...

IHR HABT RECHT.

...DAS SIEGEL DES LEGENDÄREN MAGIERS ZU HÜTEN.

EINE SCHWERE BÜRDE FÜR EINE FÜNFZEHNJÄHRIGE...

WIR HOFFEN, DASS SIE DARK SCHNEIDER BALD FINDET...

BAM!

SHEELA! OBER-PRIESTER!

SIE GLEICHT IHRER VERSTORBENEN MUTTER...

...SIE HAT IHREN MUT!

Design von Hataike Hiroyuki

ICH
UND
MEINE
2000
NINJA
...

SLAK

ICH BIN EIN
KUMPEL VON
DARK SCHNEI-
DER...

...
WERDEN
EUCH
HIER MAL
AUS-
HELFEN
!!

TSCHACK

SSST SSST

LA LA LA

AAAH!

YOKOS HINTERN! ♡

!!

!!

... FLITSCH FLOTSCH ...

PLATSCH

MO- MENT!

PLÄTSCHER

83

DER VAMPIR

LUZI !!

DAS HEER DER SCHATTEN 22

CHH CHH

MH

ICH HAB MIR SORGEN GE- MACHT !

HM

HM

HM

DU WARST SO LANGE VER- SCHWUN- DEN ...

88

Dank an Chikaku aus Saitama für Yokos Design!

JA?

YOKO, DARF ICH SIE ETWAS FRAGEN?

ENDLICH HABE ICH MEINE AUFGABE ERFÜLLT.

PUH!

KNISTER!!

PATSCH!

DAS IST UNSER LUZI.

DIESER JUNGE IST WIRKLICH ...

...

DIESES KIND SOLL DER LEGENDÄRE MAGIER SEIN?!

!

UND DIESER KLEINE DRACHE?

PIEP ♡

SCHNAP

KRONSCH

SCHWER ZU GLAUBEN!

FIEP!

KRIII

DU BIST DOCH RAZU AUS GALAS LAGER!

IHR IRRT EUCH. SO SCHLECHT IST GALA NICHT.

ABER EIN WEIBER-HELD...

UND RAZU HAT AUCH NICHTS BÖSES VOR.

DAS KÖNNTE EINE FALLE SEIN!

DER NINJA-MEISTER GALA?

GALA? EINER DER VIER REITER?

KLONG!

HM...

WENN IHR ES SAGT.

...HIESS AUCH DER GROSSE BRUDER VON PRINZESSIN SHEELA, MERK-WÜRDIG...

KRACKS

ABER RAZU...

ICH WEISS, WOVON ICH REDE, GLAUBT MIR!

SCHLÜRF

91

VOR 15 JAHREN VERWANDELTE SICH PRINZ RAZU URU MIT EINEM GEHEIMEN ZAUBER IN EINEN DRACHENRITTER.

ER WOLLTE DARK SCHNEIDER BESIEGEN.

ER WAR EINER DER DREI HELDEN, DIE DIE VIER KÖNIGREICHE BESCHÜTZT HABEN.

PFF

WRACKS

WOMÖGLICH IST DER ZWERGDRACHE DIE REINKARNATION DES PRINZEN RAZU.

EINE HELDEN-SAGE...

SKRITSCH

ES HEISST, ER SEI IM KAMPF GEGEN DARK SCHNEIDER GEFALLEN, ABER NIEMAND WEISS ES SICHER.

DAS WÄRE FURCHTBAR!

HA HA HA!

OH!

KRUNSCH

GRRROOOO!

TAP TAP TAP

MEIN GRAF, DIE MÄDCHEN AUS DEM DORF SIND DA, WIE GEWÜNSCHT!

KRIETSCH

ICH ERWARTE SIE SCHON SEHNSÜCHTIG ...

FUP

ÄH...JA...WIE VERSPROCHEN, MEIN EDLER GRAF DAI AMON ...

JODO, SIND DAS AUCH ALLES JUNG-FRAUEN ?

SCHLÜRF!

Was für ein Widerling

OOOOO OOOH

TAP

HO HO!

MIT MIR MACHT ER DAS NICHT! HA! HA! HA!

ZWEI VON NEYS GETREUEN SIND VON DARK SCHNEIDER BESIEGT WORDEN...

FLAP

SIE SIND SORGFÄLTIG AUS DEN UMLIEGENDEN DÖRFERN AUSGEWÄHLT.

HM

ICH HOFFE, SIE SAGEN EUCH ZU!

WIESO ...

JA, SICHER!

ICH BIN UNVER-WUNDBAR UND HABE EWIGES LEBEN!!

... IST DIESES MÄDCHEN DANN KEINE JUNGFRAU?!

SWiiP

VERSAGER KANN ICH MIR NICHT LEISTEN, JODO.

ABER ... NEIN! DAS MUSS EIN IRRTUM SEIN!

WAS? DAS IST UNMÖG-LICH!!

HAST DU VERSTAN-DEN? JODO!!

ABER UM SO MÄCHTIG WIE NEY ZU WERDEN, BRAUCHE ICH DAS BLUT VON JUNG-FRAUEN!!

DAFÜR NEHME ICH DEIN BLUT!

ARGL!!

A AH

Der Vampir ♡

Vampire gehören zu den Untoten und sind gefürchtet, weil sie sich von Menschenblut ernähren. Sie können sich in eine Fledermaus oder einen Wolf verwandeln und Menschen kontrollieren. Sie sind widerstandsfähig gegen Zaubersprüche und normale Waffen können ihnen nichts anhaben (nach Bram Stokers »Dracula«)

Es ist bekannt, daß Menschen durch einen Vampirbiss und den Spruch » Becoming Undead « selbst zum Vampir werden.

AH, KÖSTLICH.

WO BLEIBEN DIE RESTLICHEN MENSCHENFÄNGER?

ES WIRD ZEIT!

FUMP

HE HE!

EIN GUTER FANG! SIE RIECHEN ALLE NACH JUNG-FRAU!

HA! HA! HA! LOS, BE-EILUNG!

NEIN!!

AAH!

TSCHACK

FWAP

DER GRAF WIRD ZUFRIE-DEN SEIN.

ICH HABE EINE NASE DAFÜR.

HILFE!!

ROAR!

GRRR

UND ES IST VOLLMOND! ICH FÜHLE MICH SO...

ZZZZ

ZZZZ

ER SOLL BEI MIR BLEIBEN ...

KOMM HER, SONST ERKÄLTEST DU DICH NOCH!

...DASS ETWAS BÖSES SICH NÄHERT!

ICH SPÜRE ...

AH, DAS IST GUT!

KRACKS

!

ROOOOAARR!

!!

WAS?

PASST AUF! DA KOMMT JEMAND!

UAAH !! WAS IST DAS ?!

EIN WER-WOLF !!

?

AAH ! EINE JUNGFRAU! EINE LECKE-RE JUNG-FRAU!

WOOAA

HAB ICH EUCH GE-FUNDEN !!

PANG

UAAAH!!

SCHNELL! WIR MÜSSEN YOKO SCHÜTZEN!!

EINE DELIKATESSE!!

SRR

Großmutter, warum hast du so einen grossen Mund?

HE HE! DIE BEKOMMT DER GRAF NICHT, DIE WILL ICH HABEN! ♥

SCHLUCK

Rot-Käppchen ♥

WAS FÜR EIN MONSTER!

Oder so ähnlich ...

102

DODOM

FINGER WEG VON YOKO!

WAS WILLST DU, KLEINER?

WENN DU SIE ANRÜHRST, BRINGE ICH DICH UM!!

DU SOLLST DIE SCHNAUZE HALTEN !!

DAS IST NICHT LUZIS STIMME !

DAS IST DOCH ...

TSCHACK

HA HA ! DER JUNGE IST IRRE VOR ANGST ! DU BIST ZU- ERST DRAN !

WAS ?!

DU RIECHST NACH HUNDE- SCHEISSE !

DAS HEER DER SCHATTEN 23

DER WERWOLF

TWARK

UOOH!!

POOFF!

!!

DAS IST NUR EIN FRECHES GÖR!

WAS FASELT DER KLEINE?

ER IST NICHT WIEDER ZU ERKENNEN.

WENN LUZI SCHLÄFT, KEHRT DARK SCHNEIDERS MAGISCHE KRAFT ZURÜCK!

GENAU WIE AN DEM ABEND, ALS GALA MICH ENTFÜHRTE.

ZZZZ ZZZZ ZZZZZ

PAPAPA

VON SO EINEM MAGIER HABE ICH NICHTS ZU BEFÜRCHTEN!

HA! HA! HA! KLEINER IDIOT!!

RUMMS

AAH!

SCHNAPP

DU HAST MICH BELEIDIGT... GRRR!

UND ALS WOLF BIN ICH NOCH FURCHTBARER!!

SCHON ALS MENSCH BIN ICH EIN GEFÜRCHTETER KRIEGER!

AHAHAHAHAHAHAH

UND JETZT NIMM DAS!

ER WIRD STERBEN! ES IST IMMER NOCH LUZIS KÖRPER!

NEIN!

109

WÜRG!

POFF!

JETZT BRING DIE LESER NICHT DURCHEINANDER!

PLOTSCH!

DIESE DRITTKLASSIGE TYPE WILL WOHL EWIG SO WEITERTOBEN!

SKRIETSCH

SKRIIIIII

WUFF! WUFF!

DER HÄLT EINFACH NICHT STILL!!

ABER WIE KANN DAS SEIN?

DA STECKT TATSÄCHLICH DARK SCHNEIDER DRIN!

BOAH! DIESE KRAFT!

ETWAS BRUTAL, NA JA.

ER WIRD ZUM MANN!

SCRATCH!

UAAH!!

WAS? DU WILLST MAGIE SEHEN?

DAS IST JA EIN ALPTRAUM!

WAS FÜR EINE KRAFT! DU BIST WIRKLICH EIN MAGIER!

NEIN! NICHT DOCH!

HA! HA! HA! NA, DANN ZEIGE ICH DIR WAS BESONDERES!

WAS? ÄH, NEIN DANKE!

O NEIN! DIESER SPRUCH!

SASADO SASADO SUKERONE RONSUKE!

WAS? UNGLAUBLICH!

BEI DEN FLAMMEN DER FINSTERNIS!!

HERBEI, MEIN SCHWERT! VERNICHTE DEN FEIND!

FFFT

NEIN! DU WIRST DOCH NICHT...

...

HABT IHR DAS GESEHEN?

DAS SEH ICH DAS ERSTE MAL

WAS FÜR EINE WAHNSINNS-MAGIE!!

DU LEBST IMMER NOCH, WERWOLF? NICHT SCHLECHT!

PLATSCH AUA! AUA! AUA!

EIN ...

... VAM- PIR ?

GRR GGRRRR UUH!

EIN VAMPIR ?

KAY HAN SAGTE, DER GRAF HÄTTE SICH MIT EINEM EIGENEN SPRUCH ZUM VAMPIR GEMACHT ...

WENN ER SO MÄCHTIG IST...

DER VAMPIR IST DER MÄCHTIGS- TE UNTER DEN UNTO- TEN.

ABER EINES VERSTEH ICH NICHT.

... BRAUCHT DER GRAF VIEL JUNG- FRAUEN- BLUT.

RICH- TIG?

UM KAL UND ASHES STÜRZEN ZU KÖNNEN UND UM SEINE KRAFT ZU VER- GRÖSSERN ...

KAY HAN ?

ASHES ?

HUCH

... WARUM IST ER DANN ASHES UNTER- GEBENER ?

HM ?

HE!

NA GUT, ICH HÖRE!

WILLST DU NOCH WAS SAGEN? SONST...

UUH!

O.K.? JA?

ICH SAGE ALLES! BRING MICH NICHT UM!

STAMPF!

ES IST...

ÄH...

...SO!!

ALSO DOCH!

WÜRG!

GULP!

DER VAMPIR!

DAS WIRD NICHT LEICHT!

HÄLTST DU MIR SCHON WIEDER EINEN VORTRAG?

MUSSTEST DU SO BRUTAL SEIN?

HE! LUZI!!

NA LOS! ANTWORTE!

DU HAST MIR WOHL AUCH EINIGES ZU ERKLÄREN!

Die ist sauer,

WER HAT DICH WIEDER IN LUZI VERWANDELT? ICH WILL EINE GUTE ERKLÄRUNG!

WARUM BIST DU AUS DER NINJA-FESTUNG VERSCHWUNDEN?

WAS HAST DU GETRIEBEN?

...

...

NUN?

GULP

WER SIND KAY HAN UND ASHES?

ÄH...

WAS DENN NOCH?

LUZI?

Erwischt!

121

DAS HEISST...

...DASS DARK SCHNEIDER NICHT GANZ FREI IST...

HMM...

WENN DU NICHT REDEST, SCHLAFEN WIR NICHT MEHR ZUSAMMEN!

WIE HAST DU DAS SIEGEL GELÖST?

DABEI WARST DU IMMER EIN SO BRAVER JUNGE!

LASS MICH!

...SONDERN GEBANNT IN DIESEM JUNGEN.

TAP

DAS WIRD LUSTIG!

ICH VERSTEHE! HA! HA!

DAS ORIGINAL

VOR 15 JAHREN GRIFF DER UNBE-SIEGBARE MAGIER, BEGLEITET VON VIER REITERN, IN VIER JAHREN DIE VIER KÖ-NIGREICHE AN ...

EINST STAND DER LEGENDÄRE MAGIER DARK SCHNEIDER AN DER SPITZE DES RIESIGEN HEERES DER SCHATTEN ...

HUNDERTE VON STÄH-LERNEN GOLEMS UND TAUSENDE FURCHTBA-RER ZAUBERSPRÜCHE VERBREITETEN ANGST UND SCHRECKEN. DIESER UNGEHEURE KRIEG VER-ÄNDERTE SOGAR DAS KLIMA ...

DER SCHÖNSTE!

DER KLÜGSTE!

UND ATTRAKTIVSTE!

ATTACKE!

ZAM

ICH, GRAF DAI AMON!

BADOOM

DER STÄRKSTE GRAF AUF ERDEN!

126

ACH JA?

ÄH... JA!!

ALLES KLAR, JODO?

DOOM

HAST DU DIE MUSKELN GESEHEN?!

SO EIN MONSTER!

UAAH! WAS IST DAS JETZT?!

SCHEISSE!

HUCH?

WER IST DAS?!

DURCH DIESEN SCHOCK IST LUZI AUFGEWACHT!

LUZI?

WAS?

WARTE!

HE!

AH!

POOoOFFFF!

AH!!

WIE BITTE?!

ICH VERSTEHE. DARK SCHNEIDER IST NUR DA, WENN LUZI SCHLÄFT!

OH! EIN GOBLIN!♡

HUCH!

YOKO! ICH HAB ANGST!

SCHNAPPT IHN EUCH!!

KLANG

HILFE!

DAS SCHREIEN NÜTZT NICHTS, MEINE KLEINE!

DAS IST NUR VULGÄR!

HILFE!

JETZT SIND WIR DEINET-WEGEN GEFANGEN

MAN KANN SICH NICHT AUF DICH VERLASSEN!

Deine Visage aber auch.

129

DEN LEGENDÄREN MAGIER SO LEICHT ZU FANGEN ...

HI HI

...UND NOCH DREI SO SCHÖNE MÄDCHEN DAZU !!

UND WENN SCHON !

NICHT WAHR, JODO?

DAS WIRD EIN UNVERGESSLICHER ABEND WERDEN !

Ö JA!

BRINGT DIE VERRÄTER HEREIN !

KUNG

DREI MÄDCHEN ?

BLINK!

KLONG!

WILLKOMMEN IN MEINEM SCHLOSS, SHEEN HARI UND KAY HAN.

HA! HA!

DIE BEIDEN!

GRR

... ABER EUER VERRAT IST UNVERZEIHUCH!

IHR WART TAPFERE MITSTREITERINNEN ...

SPIEL DICH NICHT SO AUF, JODO.

SIE HABEN DIE KRAFT VON 100 MÄNNERN!

ES WAR NICHT LEICHT DIE ZWEI ZU FANGEN, MEIN GRAF!

UND DU BIST EIN MONSTER GEWORDEN!

IHR SEID SCHÖNE FRAUEN GEWORDEN ...

KLIRR

PFF

UND NUN WERDE ICH DIE VERRÄTER BESTRAFEN!

DAS SELBE LOSE MUNDWERK WIE IMMER!

WAS?!

HALTS MAUL! DER WAHRE VERRÄTER BIST DU!

KLAC

KLING

SIE HABEN UNS NUR HIERHER GEFÜHRT.

HI!

IDIOT! GLAUBST DU WIRKLICH, DEINE SCHERGEN KÖNNTEN UNS FANGEN?

ABER... ABER...

WAAH!

NICHTS DA!

BITTE NICHT WIEDER...

GNA-DE!

VER-ZEIHT, MEIN GRAF!

JODO! DU HAST SCHON WIEDER VERSAGT!!

AAAH!!

Er scheint lecker zu sein ...

WIRKLICH... EIN VAMPIR!!

ECHT GRÄSS-LICH!

GNADE! BITTE! ZU HILFE!!

DURCH EUER WUNDERBARES BLUT WIRD MEINE MAGISCHE KRAFT NOCH STÄRKER WERDEN!

TSS!

FLOP

MHMM ... BLUT!

134

BIST DU BEREIT ?!

SCHLACK DARAUS WIRD NICHTS !!

DANN KANN ICH NEY UND KAL BESIE-GEN !!

MAGISCHES SCHWERT! DRACHEN-ATTACKE !!

RAI SEKI NETSU! TALISMAN-MAGIE !!

GOOOO...O

MIT SCHWERT UND TALISMAN GLEICHZEITIG SCHAFFT MAN SOGAR EINEN VAMPIR!

GE-SCHAFFT!

ZAAF

ER ERHOLT SICH UN-GLAUBLICH SCHNELL!

KRRR...

HÄH?

ABER ... DAS IST...

KRRR

NICHT DIE KLEINSTE WUNDE!

BO...O...IX!

PAFF!

UND JETZT HALTET STILL ...

PAK

HA! HA! HA! HABT IHR VERGESSEN, DASS UNTOTE UNVER-WUNDBAR SIND?

ZAAA

ROAARR

...WEIL ICH EUER BLUT WILL!

LÄSST SICH NICHT ÄNDERN!!

DIESE ALTE METHO-DE LIEGT MIR ZWAR NICHT, ABER ...

141

KAY
!!

NEIN
!!

KRIEK!

AH!
AH!

DIESES SÜSSE AROMA, DIESER WUNDERVOLLE DUFT! BEINAHE VOLLKOMMEN!

KROK

DIESES BLUT IST KÖSTLICH! EXZELLENT!

CRRR

WIE ERWARTET, HAST DU WUNDERVOLLES BLUT!!

DAS HEER DER SCHATTEN 25

ZORN

145

DIE MENSCHEN BRAUCHEN EINEN STARKEN HERRSCHER!

IHR SEID DIE VERRÄTER.

WOVON SPRICHST DU?

DAS GILT AUCH FÜR KAL UND NEY.

DIE WELT KANN NICHT VON EINEM SCHWACHEN BEHERRSCHT WERDEN!

SCHNIEF

ACH... WENN ER DOCH HIER WÄRE...

GRR!

DAS IST DOCH EINE WAHNVOR-STELLUNG!

POM

WAHN-VOR-STELLUNG?

146

... MUSST DU NOCH DARK SCHNEIDER BESIEGEN!

SELBST WENN DU MIT UNSEREM BLUT STÄRKER WIRST ...

WAMM

ER WIRD FÜR NEY KÄMPFEN!

DARK SCHNEIDER HAT GESAGT, DASS NEY ZU DEN SEINEN ZÄHLT!

!

DAS STIMMT!

GREIN

KLANG

WAS SOLL DAS? WOVON SPRECHEN DIE?

...

HA HA HA!

HAHAHA!

O ICH LACH MICH TOT!

WAS ?!

HA!

SEHT MAL, DA OBEN HÄNGT EUER RETTER!

STOMP

AH!

DER SPINNT!

WAS?

WISST IHR NICHT, DASS DARK SCHNEIDER IM KÖRPER DIESES KINDES GEFANGEN IST?

IHR HABT JA KEINE AHNUNG!!

DAS KANN NICHT SEIN!

JETZT VERSTEH ICH ALLES!

DARK SCHNEIDER IST GEFANGEN, WENN LUZI WACH IST.

WAS SOLLEN WIR TUN?

ER HAT IHN IN DEM NEUGEBORENEN LUZI RENREN GEFUNDEN!

TIO NOTO SOTO HAT NACH DER SCHLACHT DARK SCHNEIDERS WIEDERGEBURT VORAUSGESAGT...

GA!

NUR MIT EINEM KUSS KANN ER BEFREIT WERDEN!

←Tio mit 25 Jahren.

Luzi   Dashu mit 5

ALSO IST DARK SCHNEIDER MIT LUZI RENREN GEMEINSAM AUFGEWACHSEN.

HI!

UND TIO VERSIEGELTE SEINE PERSÖNLICHKEIT IN DEM BABY!

ABER IN DEM FALL...

DIE BEIDEN SEELEN HÄTTEN VERSCHMELZEN SOLLEN, STATT DESSEN TEILEN SICH NUN ZWEI PERSÖNLICHKEITEN EINEN KÖRPER!

HI HI

GRR

EIGENTLICH SCHADE. SO KANN ICH DARK SCHNEIDER FAST ZU EINFACH TÖTEN!

BOMM

IHR HABT KEINE CHANCE!!

BLOP

BLAAM

WENN DARK SCHNEIDER TOT IST, HÄLT MICH NIEMAND MEHR AUF!

ICH FREUE MICH SCHON AUF NEYS UND KALS BLUT!!

KAY!

NEIN!

155

YOKO!

B•A•
GROAR!

ES IST
SOWIESO
ZU SPÄT
!

MIT SHEEN
HARIS BLUT
VERDOPPELT
SICH MEINE
KRAFT
NOCH !

HE HE   AH
!

VERDAMMT!
LUZIS WILLE
UND DAS
SIEGEL
...

...SIND
STÄRKER
ALS DARK
SCHNEIDER
!

157

ROAAR

GRR

WAS?

BESTIE! WENN DU IHR WAS TUST, WIRST DU ES BEREUEN!

PAM

DIR WERD ICH'S ZEIGEN !!

AAH !!

MAN TRITT EINEM GENTLEMAN NICHT INS GESICHT!

ARR

HUCH!

DAS HEER DER SCHATTEN 26

DER GRAF

DARK SCHNEIDER?

ER HAT SICH SELBST BEFREIT! UNMÖGLICH!

DARK SCHNEIDER!!

UFF!

LUZI? DARK SCHNEIDER?

Herrscher über Tod und Zerstörung mit unerschöpflicher magischer Kraft!

Der große Magier aus dem Reich der Schatten!

ZISCHH!

DAS IST DER LEGENDÄRE DARK SCHNEIDER!

WAR DER ZUSAMMEN MIT DEM KIND IM KÄFIG?

SO EINE BRUTALE VISAGE SAH ICH NOCH NIE!

DAS BÖSE IN PERSON!

DER KERL IST WIRKLICH ZUM FÜRCHTEN!

ZAAAAR

GRR...

Schluß mit dem Quatsch!

UND DU HAST YOKO GETRETEN!

DU HAST ES GEWAGT, MEINE FRAUEN ANZURÜHREN!

WAS?

IDIOT

GRR

DIE ZU-KÜNFTIGE MUTTER MEINER KINDER!

ICH HAB MICH WOHL VER-HÖRT!

167

169

O NEIN!

DEIN KLEINER TRICK WAR VÖLLIG WIRKUNGSLOS! HA HA HA!

DAS WIRD NICHT REICHEN! WENIG LEGENDÄR!

O NEIN! KREUZ UND MAGIE HABEN VERSAGT!

AUCH DAS SCHWERT SCHLÄGT IHN NICHT!

JA, JA

JETZT WERDE ICH GEWINNEN! NICHT WAHR, JODO?!

HM...

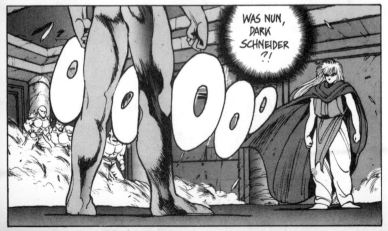

WAS NUN, DARK SCHNEIDER?!

DU WOLLTEST MICH BESIEGEN? FÜR WEN HÄLTST DU DICH?

HIIIIIII!

NA? DAS GEFÄLLT DIR WOHL NICHT!!

FÜR DIE NUMMER EINS!

PFF!

IDIOT

...DAS FÜRCHTEN LEHREN!!

IST DOCH REIZEND, DIESER ANGEBER! ICH WERDE DICH JETZT...

HE ! DER TRUMPF DES MEISTERS !

GRR !! WILLST DU WAHRE MAGIE SEHEN ?

HA HA!

DAS WIRD WOHL NICHTS !!

PIIU

ASSAS-SIN !!

BHAA

URGL!!

HA! EIGENHÄNDIG ZERFETZT, DEN TYPEN!

PLOTSCH

PLOP

PLOP

NEIN!!

OH! GE-WONNEN! SUPER!

NEIN!

LUZI!

AAAH!

WAS?!

HA! HA! HA!

N-P

HI HI

HÄ?

HM?

DA IST WAS SCHIEF GEGANGEN...

HE

!!

OOOH!!

SPLOTSCH

OH MEISTER, ICH WILL NICHT MEHR!

BLUBB

DU HAST EINFACH NICHT AUFGE-PASST! DU MUSST DOCH RICHTIG ZIELEN!!

ZU BE-SCHEUERT!!

HA! HA! HA! HA!

JODO?!

SCHURKE!

DU BELEIDIGST EINEN GENTLE-MAN!

HA! HA! HA!

DU IDIOT!

ZUM TOT-LACHEN!!

HA! HA! HA! WAS IST, GRAF? FEHLT DIR WAS?

Was für ein vulgärer Typ!

ZAP

ZAP

DAI AMON!! DIE GROSSE ASSASSIN SPIRALE!!

ZAP

ZAP

DU WIRST SEHEN, WIE ICH TREFFEN KANN!

ZIIING

AAH!

ZAP

DER SPIRALE ENTKOMMST DU NICHT!!

BOMO

WIESO?!

GRAF!! HÖRT AUF!

BAM!

HE! VOR-SICHT!

SCHLAK

IM KAMPF GIBT ES NUR EIN GESETZ ...

HILFE!

TSCHACK

... DAS DES STARKEN, SCHÖNEN, UNBESIEGBAREN HELDEN. DU HAST KEINE CHANCE !!

BA DOW

ZING

HALTS MAUL! ICH BIN SCHÖN!

DU TRÄGST DEINEN TOD SCHON IM GESICHT!

POFF

WAS
?!!

JETZT
IST ES
SOWEIT
...!

PAH!

SKRIII

SCHWEIN
!

MEINE
SPIRALE
EINFACH
ANZUHAL-
TEN!

MONSTER
!!

SHOO OF

FIUUU!

SSST!

ER
ZERFÄLLT
ZU
STAUB!

(POFF)

DER GRAF IST GE-GRILLT!

O JE! O JE!

KRRSS
KRRS

HI HI HI!

FLOP FLOP

GESCHAFFT! DU HAST DEN VAMPIR ABGE-FACKELT!

KRRS KRRS

NOCH NICHT GANZ, SIEH HIN!

!

GRII

ERINNERE DICH. ICH BIN EIN EDLER EROBERER! ICH BIN DER HERRSCHER DER WELT!

NEIN... DAS IST...

AH! DER GRAF IST WIEDER DA!

...

FLAP FLAP FLAP

EINE RIESEN-FLEDER-MAUS!

MEIN NAME IST DAI AMON!

ZEIGT EUCH!

GRAF, WO SEID IHR?

FLAP

WOHER KOMMT SEINE STIMME?!

WO SEID IHR, MEISTER?!

DARK SCHNEIDER! WEISST DU, WO ICH BIN?

186

O NEIN!

DU KANNST DANN KEIN BLUT MEHR SAUGEN!

ICH WERDE MIT DEINER HAUT EINEN KLEINEN ZAUBER MACHEN!

GRR

TÖTEST DU MICH JETZT?

HM

ES IST EIN MÄCHTIGER ALTER ZAUBER!

ES IST EIN ALTER ZAUBER, UM BESIEGTE GEGNER ENDGÜLTIG ZU UNTERWERFEN.

NEIN! TU MIR DAS NICHT AN!!

KI OBUS BATARO! KÖNIG DER NACHTGEISTER! HERBEI AUF MEINEN NAGEL!

SSSS

... KANNST DU ZWISCHEN LEBEN UND TOD WÄHLEN!

ZZZ

DAI AMON, DU BIST EINE BÖSE, MASSLOSE BESTIE! DENNOCH...

SSSS

WENN DU DICH AUFLEHNST, WIRD SIE ALLMÄHLICH ROT.

KRSSS

DIESE BLAUE KRALLE FRISST SICH IN DEINEN KÖRPER UND WIRD EINS MIT DIR!

DANN WIRST DU FÜR IMMER IN EIN ANDERES WESEN VERWANDELT!

SKRITSCH

WENN SIE GANZ ROT IST, IST DAS DEIN ENDE!

KANN ICH MIR NICHT LEISTEN! HA! HA! HA!

NEIN! BITTE, HÖR AUF! HAB MITLEID!!

IN EINE DUMME, HILFLOSE KRÖTE! HA! HA!

190

DAS HAT GEDAU-ERT.

PUH!

In der Tat

ENDUCH IST ER ERLEDIGT !

DASHU !

TAP

DARK
SCHNEI-
DER
!!

AH!

DODOM
DODOM

...

KAY!
WAS IST
MIT IHR?

NUR ASHES' LEUTE SIND SO ZÄH.

SIE MUSS IM TEMPEL GEPFLEGT WERDEN, DANN WIRD SIE NICHT ZUM VAMPIR!

EIN GLÜCK!

SCHNÜFF

PUH!

ICH BIN OKAY.

ABER DU BLUTEST.

YOKO! ZEIG MIR, WO ER DICH GETRETEN HAT.

POFF

TSCHACK

WO?

WAS?

WER IST DAS?

WER IST DIESE FRAU?

... HÄ? YOKO?

YOKO IST DIE ZUKÜNFTIGE MUTTER MEINER KINDER!

HM...

MOMENT!

PATSCH

LÜGNER! ZWISCHEN UNS IST NICHTS!

WEIL ES SO IST!

WARUM SAGST DU SO WAS?!

WAS?

ER IST NUR EIN FREUND!

ÄH... ABER WARUM?

MIT LUZI IST ES WAS ANDERES!

...IM BETT, WAR DAS NUR EIN BILLIGES VERGNÜGEN?

IN DIESER NACHT, ALS DU GESAGT HAST, ICH SEI SÜSS...

...

ABER, SAG MAL...

ABER, DAS IST AB- SURD!

ICH SCHICKE KEINE FRAU WEG, DIE WAS VON MIR WILL!

WIR SIND NICHT VER- HEIRATET...

DU HATTEST MIR DOCH EINE FALLE GESTELLT!

Macho!

PAAFF

...

...

AUA!

ICH WEISS NICHT, WAS DU GETRIEBEN HAST! ABER SO HERZLOS BEHANDELT MAN KEINE FRAU!

ER MUSS STER-BEN!

...UND DIESER VERRÄTER GALA!!

METALLICANA IST NOCH NICHT GEFALLEN...

DEINE DREI LEUTE SIND ZU DARK SCHNEIDER ÜBERGELAUFEN, STIMMT'S, ASHES NEY?

...

Die Lebenserwartung eines Halbelfen beträgt etwa 400 Jahre. Neys Alter von 100 Jahren entspricht einem Menschenalter von 18 bis 20 Jahren.

Ashes Ney

Ashes zu zeichnen macht Spaß. Sie ist süß, und wie Dashu ist sie einfach zu zeichnen.

Dunkelelfen gehören zur Familie der Elfen. Sie sind dunkelhäutig und sehr intelligent. Sie kommen erst seit ca. 1200 Jahren vor und sind somit eine jüngere Rasse als die Menschen. Die Dunkelelfen sind mit den anderen Elfen im Krieg. Ganz selten gibt es Mischlinge zwischen Dunkelelfen und Menschen. Die Zauberkraft solcher Mischlinge ist sehr hoch, da sie die Fähigkeiten beider Rassen erben.

STUDIO LOUD IN SCHOOL

WAS WILLST DU MIR DAMIT SAGEN, ABIGAIL?!

DAS MUSS AUFHÖREN!

DREI LEUTE SIND SCHON ÜBERGELAUFEN!

...

..., DU WURDEST VON DARK SCHNEIDER AUFGEZOGEN, HALBELFE. WIR SOLLTEN AUF DICH ACHTEN!

NICHTS, NUR...

SIEH HER! HIER HABE ICH EINE FLEDERMAUSHAUT!

SKRATZCH

WAS?! DU MISSTRAUST MIR?! DAS IST UNVERZEIHLICH!

...

DER **ACCUSED**-SPRUCH!

IHR WERDET SEHEN, DASS ICH NICHTS MEHR FÜR DARK SCHNEIDER EMPFINDE!

ABER SICHER!

KLUNK

NUN?! WAGST DU ES, DER BLAUEN KRALLE DEINE TREUE ZU BEWEISEN?

SCHAAA

ENDE VON BAND 3

CARLSEN COMICS
1 2 3 4 5   03 02 01 00
Deutsche Ausgabe/German Edition
© Carlsen Verlag • Hamburg 2000
Aus dem Japanischen von
Christine Roedel
BASTARD!! • Volume 3
Copyright © 1988 by Kazushi
Hagiwara • All rights reserved
First published in Japan in 1988 by
SHUEISHA Inc., Tokyo • German
translation rights arranged by
SHUEISHA Inc. through
Tuttle-Mori Agency, Inc.
Textbearbeitung: Jutta Harms
Redaktion: Aranka Schindler
Lettering: Gerhard Förster
Herstellung: Stefan Haupt
Druck und buchbinderische
Verarbeitung: Norhaven A/S
(Viborg/Dänemark) • Alle
deutschen Rechte vorbehalten
ISBN 3-551-74533-1
Printed in Denmark

http://www.carlsencomics.de

BASTARD!!
バスタード

DER GOTT DER ZERSTÖRUNG

**Neu! Bastard!!
Band 4 ab Ende August
im Handel**

Die Entscheidung

FAN PAGE

Bastard!! Video Game

Bis jetzt auch nur in Japan auf dem Markt: Das »Bastard!!« Video Game für die Playstation. Über amerikanische CD-Händler lieferbar: Der Soundtrack "Best of Bastard!!"

Bastard!! Soundtrack

_____Bastard!! im Internet (Auswahl II)_____

Antichrissy´s Bastard Fix!
http://www.geocities.com/Hollywood/Trailer/9054/bastard.html
Hier findet man eine riesige, private Image-Gallery zu Bastard!!, ein paar animierte Gifs zum downloaden sowie die vielversprechende Rubrik "The Shrine to the Long Haired Blond Men of Anime".

Apocrypha – A Bastard!! Manga Fan Page
http://sno.simplenet.com/bas/
Sehr schön gestaltete, private Homepage mit Newsletter und einer nützlichen Linkliste.

Bastard!! Nation
http://web.tiscalinet.it/bastardnation/
Auf dieser Seite erfährt man einiges zu den Heavy Metal-Zitaten und -Anspielungen, die sich durch alle Bände des Manga hindurchziehen.

Bastard!!
http://www.geocities.com/Tokyo/Temple/7845/basattack.html
Homepage mit Image-Gallery und Charakter-Profilen aus dem Anime. Besonders klasse: Soundfiles mit den Attacken und Zaubersprüchen aus dem japanischen Original-Video. Listen to the voice of Dark Schneider!

BASTARD!!

Hier präsentieren wir euch Infos und Neuigkeiten rund um Dark Schneider und seine magische Welt. Richtig klasse wird diese Seite aber erst durch eure Mithilfe. Also: Schreibt uns, wie euch dieser Manga gefällt, lasst uns wissen, wenn ihr »Bastard!!«-Websites erstellt habt und schickt uns eure eigenen Zeichnungen von Dark Schneider, Yoko, Sheela und euren anderen Lieblingshelden. Denn ihr wisst ja: "Wir lieben Fanpost!"

Bastard! Postcard Ex

Unsere Adresse:
Carlsen Comics »Bastard!! Fan Page«
Postfach 500380, 22703 Hamburg.

Wie bereits auf der »Bastard!!« Fan Page in Band 2 angekündigt, sind mittlerweile in Japan ein Bastard!! Postcardbook (ISBN 4-08-703031-8),

by Kazushi Hagiwara

sowie ein 2-bändiges Artbook (ISBN 4-08-782007-6) erschienen. Das Artbook enthält neben aufwendigen Farbabbildungen von Dark Schneider, Yoko und Co. auch noch jede Menge Illustrationen zu dem 4-teiligen Anime »Bakuen Campus Guardress«. Diese Serie entstand 1994 in einer Zusammenarbeit von Kazushi Hagiwara und Akahori Saturo und erzählt die Geschichte um ein High-School-Mädchen namens Jinno Hazumi. Neben einer Lovestory beinhaltet die Geschichte Magie, Action und Comedy-Elemente.

Bastard!! Guardress Artbook „Nude"

Neben den oben genannten Büchern gibt es in Japan noch jede Menge Merchandise zu »Bastard!!«. Fans die des Japanischen mächtig sind, finden eine entsprechende Liste auf der Website:
www.ceres.dti.ne.jp/~k97053lt/index.htm.

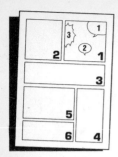

HALT!

Dieser
Comic beginnt nicht, wie man an
sich erwarten würde, auf dieser Seite!
Denn BASTARD!! ist eine japanische Serie, und in
Japan wird von »hinten« nach »vorn« und von rechts
nach links gelesen. Weil wir bei Carlsen neue Manga
so originalgetreu wie möglich vorlegen, werden die
Abenteuer von Dark Schneider auch auf deutsch so erscheinen wie ursprünglich
in Japan. Man muss diesen Manga also »hinten« aufschlagen und Seite für Seite
nach »vorn« weiterblättern. Auch
die Bilder auf jeder Seite
und die Sprechblasen
innerhalb der Bilder
werden von rechts
oben nach links
unten gelesen – so
wie in der Grafik
oben gezeigt. Wer' s
ausprobiert, merkt
schnell, dass das
gar nicht so
schwer ist
wie man
zuerst
denkt.

In diesem
Sinne:
Viel Spaß
mit BASTARD!!